눈	삿
이	포
	로
올	에
까	
요	가
	면

삿포로에 가면 눈이 올까요

발　행 | 2024년 04월 11일
저　자 | 윤산
출판사등록 | 2014.07.15.(제2014-16호)
주　소 | 서울시 금천구 가산디지털1로 119 SK트윈타워 A동 305호
전　화 | 1670-8316
이메일 | info@bookk.co.kr
저자 이메일 | doyoun990907@gmail.com

ISBN | 979-11-410-8013-6

www.bookk.co.kr

그동안 써내려갔던 낙서들을 모아서 기록하고 싶다는 생각이 들었습니다.

4월에 삿포로에 가면 눈이 올까 궁금해졌습니다.

책장에 박혀있던 나의 낙서들을 모으기 시작했고, 비행기표를 끊었습니다.

시집보다는 일기장에 가깝습니다. 국어교육과를 전공했기에 형편없는 것임을 압니다.

추억을 모아서 출판한다는 것 자체가 아름답게 느껴져 드라마의 프롤로그 느낌으로 출판합니다.

삿포로에 가면 눈이 올까라는 궁금증으로 시작해서 본인의 낙서를 마음대로 나열하고 삿포로에 가서 보게 된 것을 보여주면서 이 낙서장은 마무리 됩니다.

좋은 하루되세요

CONTENT

CONTENT

생각과 낙서, 시를 쓰는 이유들

CONTENT

기억 혹은 추억

CONTENT

에필로그

서둘러 시를 써서
올리는 이유는
서두른 끝맺음과 시작을 위해서일수도요

기나긴 고민과 수정으로
시를 써도 모자르겠지만
날 것의 그 느낌을 보여주고 싶은걸까요

갑자기 삿포로로 가는 이유
반년만에 편지함을 여는 이유
혼자 사는 법을 배우는 이유와
같은 이유겠지요

그냥 시를 쓰고, 시를 씁니다.

삿포로에 가면 눈이 올까요

4월에도 삿포로에는 눈이 올까 싶네요
그래서 삿포로행 표를 끊었어요

삿포로에 가기 전에 정리하는 중이에요
나의 생각을 하던 일들을
심지어 쓰던 시들까지도

삿포로에 가면 생각하고 싶어요
또 나의 생각을 앞으로의 일들을
결국에 내가 쓸 시들까지도

언젠가 알게 된 つみこ씨와 만나
카페에서 서툰 일어로 수다도 나누고
노래방에서 노래도 부르고,
징키스칸에 가서 술 한 잔하고
료칸에 돌아와 몸 녹이며 하루를 마무리하겠죠

삿포로에 가면 눈이 올까요

나무와 꽃과 새

비가 온 뒤에 나무 한 그루

비가 와요. 우중충한 하루일 수도요.
빨래를 말리려 했고, 늦은 오후 햇살을 느끼려 했지만
비가 오는 걸요.

아쉬움을 뒤로한 채 소리를 들어요.
소녀들이 발을 맞춰 춤추는 듯 하고,
내 안의 아픈 것들이 다 쓸려 내려가는 것 같아요.

나는 비오는 날이 좋아요.
이렇게 나를 위로해주잖아요.
세상 것들은 하루하루 바쁘게 움직여
주위를 바라볼 시간이 없지만
비는 이렇게 나를 위로해주잖아요.

비가 오는 것도 좋지만,
비 온 다음 날의 담벼락의 내음새도 좋아요.
모든 게 정리되고, 세상 것들을 깊게 느낄 수 있어요.
참새가 울고, 햇살이 더욱 따뜻한걸요.

저기 나무 한 그루도 나뭇잎을 살랑거리잖아요.

바야흐로 날아가는 저 나비처럼

가끔씩, 아주 하늘을 바라보곤 한다.
해가 쨍쨍, 구름은 흘러가고
어쩌다 새는 지저귄다.

하늘을 바라보며 마음을 품는다
저기에 내가 있고 싶다.
예쁘고, 아름다운 곳.

하늘을 바라보노라면,
훠얼 날아가고 싶다.
바야흐로 자유 찾아 날아가는 저 나비처럼.

나무

세월을 기다리던 나무는
좀처럼 꽃을 펴지 않는다

겨울이 지나면 봄이 오지만
추위와 고독을 즐기는 듯
나무는
아직도 겨울이다.
그 나무는
아직도 겨울을 맞는다.

아마 떠난 그 제비가 그리운가보다.

해바라기

해바라기는 해바라기일뿐, 해는 결국 해다.
아무리 자신을 꾸미고, 아름다움을 뽐내도 결국,
해바라기가 해를 바라볼 뿐
해가 해바라기를 보지는 않는다. 단지,
햇빛을 더 비출 뿐

오늘도 해는 빛난다.
해는 왜 해바라기가 자신만을 보는지 알 턱이 없다.
누가 누군가를 좋아하는 데 이유가 있을까.
더군다나 해가 있기에 해바라기는 더 성장하고,
햇빛이 있기에, 해바라기는 더 아름더워진다.
이정도면 충분하지 않을까.

사실, 해바라기는 알고 있다.
해에게 해바라기는
그다지 큰 비율을 차지하지 않는다고
그렇지만 홀로 타는 해가 종종 힘들 때, 외로울 때,
그 순간만이라도 도움이 되고 싶어
하루종일 해를 바라본다.

라넌큘러스

달을 보던 고개는
점점 밑으로 내려가더니
어느샌가부터

땅만 보는 삼류가 되고.
숨소리는 한숨으로 들리는가 하면
해가 지고 달이 뜨듯 나 또한
매일매일 살기만을 계속

그러다가 우연히 예쁜 라넌큘러스를 보게 되었다
한 번 보고 두 번 보고 예쁜 그 라넌큘러스는
나를 설레게 하였다
그 꽃은 삶을 주었다

땅을 봤기에 라넌큘러스 그 한 송이를 보게 되었고
그 숨소리는 나의 생명
달이 지고 해가 뜨듯 나는 그렇게 생기를 얻었다

**힘들때노라면 저어 길 건너 있는 아직 피다 만
꽃을 보곤 합니다.**

노오란 꽃도 있고 퍼런 꽃도 있고
각자의 아름다움을 뽐내고 있을 때
피어나지 못한 꽃이
안타깝기만 합니다

어느 날은 피어날 듯 하다 시들어 버리고
또 어느 날은 비가 꽃잎을 다 좌절시킵니다

그러나 내 삶도 고독하고 넉넉지 못해
아무말 없이
지나가고는 했습니다

오늘따라 삶에 지친 나는 왠지 모르게
피지 못하는 꽃에게 다가와 물었습니다

꽃아, 꽃아 피어나지 못해 속상하지는 않니
꽃아, 꽃아 다른 꽃이 질투나지는 않니

꽃이 말하더라고요.

정성스레 꽃잎 하나하나 만들고 있다고.
곧장 시들어버릴때면
아무것도 하기 싫을 때도 있다고

그래도 느리지만 꾸준히 가다보면
어느순간 만개하는 꽃이
가장 아름다운 꽃이라고 하더라고요

장미는 원래 하얀색이었다.

장미는 원래 하얀색이었다

그는 자신이 너무나도 사랑스러웠다

온갖 벌들과 새들이 그에게 찾아왔다

심지어 다른 종류의 꽃들조차 그만을 바라봤다

거만해진 그는 가시를 만들었다

추앙받고 싶으면서도 그들과 함께 있는 것이

소름이 끼쳤다

온갖 벌들과 새들도 다가가지 못했고,

다른 종류의 꽃들조차 고개를 돌렸다.

그는 조금씩 썩어갔다. 본인은 그 사실도 모른 채

가시를 더 키워갔다

지나가다 이를 본 소녀는 안타까워 장미를 안아주었다

피가 뚝뚝 떨어졌지만 계속 그를 안아주었다

소녀의 피가 장미를 적시고, 장미는 이윽고 붉어졌다

장미는 원래 하얀색이었다

상실

처음 쓴 시를 잃어버렸을 때.

그 제목만이 생각날 때. 「장미는 원래 하얀색이었다.」

아무리 생각해도 그 때의 시는 완성되지 않는다

소중한 안경을 잃어버렸을 때.

그 모양만이 생각날 때.

아무리 안경을 바꿔봐도 그 때의 추억은 재생되지 않는다

종달새

꿈을 이야기하던
그 종달새 한마리가
저어 멀리 있습니다

행복하고 슬프고 재밌는
이야기를 나눠준 그 종달새는
저어 멀리 갔습니다

흐릿하게 보일듯 하다
아주 안보이게
저어 멀리 갔습니다

그 새가 언제 올까
밤새도록 기다려 봅니다
그 시간은 외롭고도 고요합니다

올지 안올지 모르는 새를
기다리는 것은 매우 힘듭니다

그러나 그 새가 지금 어떨지 보노라면.

맑은 하늘 속에서 침 튀기며
재잘재잘 히룻히룻 행복하게 지낼지 않을까
하며 미소를 짓고

나는 오늘도 저어 멀리 간 종달새 한마리가
이리로 오지 않을까 기다려 봅니다

그러다 결국 온다면 그땐 옷 위에
비 한방울 두방울
떨어지지 않을까 싶습니다

밤과 비

밤하늘

어느샌가 외로울 때면
별을 보는 습관이 생겼다

잠이 오지 않는
그런 울적한 날이면
별들과 얘기하곤 한다

잘지냈니 하고 안부를 묻기도
늦은 밤 나와서 고생한다고 위로를 하기도
고민을 털어놓기도 하고

어느 날은 아름다움에 흠뻑 젖어
넋 놓고 바라보기만 할 때도 있다

내가 어떻든 매일같이 나와 벗이 돼줘서
고마워

오늘 하루종일 생각에 잠겼다
어김없이 나는 별을 본다

새벽

달과 별들이 옹기종기
사이좋게 놀고 있을 때
새벽이 왔다 싶었다

이는 하루가 지났다는 거겠지

지나가버린 어제.
누군가에겐 탄생이
누군가에겐 사랑이
누군가에겐 기쁨이
있었겠지

지금 이 새벽
그 시간들은 지났지만
지금은 그것들을 추억할 뿐이지

밤하늘 II

달이 밝아요
별도 옹기종기 모여있네요

달아 내 마음 전해줄래
별아별아 내 마음 전해줄래

계속해서 생각나는 그곳에
그 향한 내 마음 비춰줄래

별

하늘이 너무나도 가깝게 느껴질 정도로
별들이 옹기종기 잔치를 벌이고 있어

서로가 연결되어 하나의 감동적인 이야기도
가슴 아픈 슬픈 이야기도 만들고는 하더라고

그러고보면 사람과 별은 비슷한 거 같아
사람과 사람이 만나 행복한 이야기를 만들고
어쩔때는 좋지 않은 이야기가 생기기도 하잖아

별한테는 그걸 별자리라 부르지
사람에게는 그걸 삶이라고 말하지

차이가 있다면
별자리에 담긴 이야기는 바뀔 수가 없지만
삶은 언제든지 바꿀 수 잇어
공통점도 하나 말해주자면
별도 너도, 그러니까 내가 하고 싶은 말은

비

시는 순간의 감정을 간직하기에 좋다.
시를 쓰고 싶어지는 날이 있다.

비가 내리면 기분이 좋다. 시원하잖아.
왠지 모르게 내 마음이 편안해진다

비가 느껴지지 않을 정도로 잠깐 왔는데
하루종일 좋았던 이유는 왜였을까

사실 날씨가 중요했던건 아니었겠지
하필이면 이때 비가 왔던 거겠지

일기예보

비가 주륵주륵 내렸으면
저는 단지 비가 좋은 것 뿐예요

울고 싶지만 울지 못할 때
글너 것들이 뭉쳐져 내 가슴이 아플 때
하늘이 대신 울어주기를

울고 나면 속이 시원해 진다고 했나요
비가 온 뒤에도 시원해지는 걸 보면
싱숭생숭 해지네요

그냥 오늘은 비가 왔으면 좋겠어요

비가 오고 비가 옵니다

비가 내리고 있어요
투둑투둑
우산을 쓰지 않은 채
길을 걸어 가는데요

비가 내리면 많은 생각들이 나요
비 와서 시원하다
비 와서 보고싶다
비 와서 생각난다

비가 내 어깨를 자꾸 건드네요
조금씩 어깨가 무거워 지고요
찝찝하기도 하고 감기에 걸릴라 걱정 되어요

이건 내가 아니겠죠
원래처럼 비가 좋다 생각할게요

비가 온 뒤 보이는 무지개처럼
비가 오면 당신이 계속 생각날거에요

생각과 낙서, 시를 쓰는 이유들

지하철

깜깜하거나 밝거나 하는
멈추거나 달리거나 하는
인생은 지하철 같다

지금 내가 껌껌하고 멈춰 있더라도
낙심치 말자

당신은 열정 가득한 승객들의 응원을 받으며
도약하기를 준비하는 것이므로

하우스낚시

편견일 수 있지만
나이에 맞지 않게
낚시를 좋아한다.
특히 하우스 낚시

이벤트를 한다던가
혹은 낚시대 끝에 찌의 맛이
짜릿해서도 아니고

단지 혼자 있기 좋은 장소
그곳이 하우스 낚시다

방 하나 빌리고
낚시대 올려놓고
담배 한 갑과
술 두어병
벌써 기분좋다

속이 갑갑하고
일이 풀리지 않을 때

깊은 생각이 필요할 때
일년에 한 두번
나는 낚시를 간다

외로움 슬픔 심란함은 갯지렁이요
그럼에도 불구하고 쓸쓸하지 않은 것은
마치 생선을 낚는 것인게 분명하다

이렇게 저렇게 시간을 보내다
아침 해가 밝으면 기지개 한 번 펴고
집으로 다시 돌아간다

진주

가끔씩 사색에 잠길때가 있다.
대부분 쓸데 없는 것이겠지만
가끔가다 진흙 속 숨겨진
진주가 있을 때도 있다

그 소중하고 진귀한 보물을 알아차리는 것은
순전히 본인의 몫에 달려있는 듯 하다

뭐가 진준지 알 도리가 없는
아쉬울 것 없는 사람들은 사색 밖 세상으로
달려나가겠지마는
그 가치를 아는 사람들은 그 이쁜 것들을 모아
목걸이를 만들것이 분명하다

만드는 사람도, 파는 사람도, 사는 사람도 있는 세상

문득, 나의 목걸이는 있을까싶었다

전투화

검고 부드러운 구두약

이런저런 상처를,
저마다의 각기 다른 사연을
모두 품을 수 있는 구두약

구두약으로 전투화를 닦자

아직 서툴디 서툰
그렇지만 열심하고 진중하게

어느덧 새 것같은 전투화

열정을 부은 전투화를 신을 때
비로소 나는 군인이 된다.

내일이면 더러워질 전투화
개의치 않고 매일매일 전투화를 닦는다.

퇴근

삑삑삑삑

오른 손목을 돌리고 당긴다

신발 하나 신발 하나

한 발자국 좌향좌 오른손을 오른쪽으로 당긴다

우향우 두 발자국 우향후

왼손을 왼손으로 당긴다

다시 세발자국 좌향좌 뒤로 돌아

엉덩이를 붙이고 왼손으로 잡고 오른손의 집게는 지렛대

목을 두 번 삼킨다

옅은 신음을 내고

다시 세 번 삼킨다

허리를 눕힌다

일어나기 싫은 날이다

광동프릭스

10등팀을 응원하기란 쉽지 않다
그럼에도 나는 응원하고 울고 웃는다
직관을 갈 때마다 져서
나 때문일까 티켓팅을 포기한 적도

나를 놀릴 때
아무말도 할 수 없었다
그래도 나는 자리를 지킨다

그대들은
두두가 크산테를 할 때
커즈가 안하던 리신을 할 때/ 영재가 세주하니를 할 때
불독이 개상혁이 될 때
태윤이 이즈궁을 썼을 때/ 불이 칼리스타를 뽑을 때
모함이 장로 막타를 쳤을 때/ 안딜이 천재라는 소리를 들을
때
그때의 그 스릴과 함성을 느낄 수 없지 않은가
올해는 플옵에 갈 것이다 믿으며 나는 또 광동을 응원한다.

화가

아무도 없는 집 안

굳이 방문을 잠근다

그림을 그리고

그 안의 새는 춤을 추며 말한다

'너, 한심해'

화가 난 화가는 새 도화지에 그림을 그리기 시작한다

그리고 만족하며 그의 말을 듣는다.

장미가 말한다

'너, 한심해'

답답한 화가는 방문을 열고 소리친다

속이 풀린 화가는 문을 열고

커피를 사러간다

텅 빈 집 안

그 방 안에는

새가 장미 곁을 맴돈다.

그리고 새가 말한다

'짹짹'

장미

처음 미술을 배웠을 때
나는 장미를 그렸다.

아름다우면서도 화려한
그런 내가 상처받지 않기 위해
가시로 본인을 감싸는
그러한 장미를 그렸다.
아마 나는 장미가 되고 싶었다.

장미에 코를 갖다 대었을 때
은은하게 퍼져나오는 그 내음새는
향기란 단어를 떠오르게 했다.
그러다 뚝뚝 떨어지는 피를 보고는 정신이 들었다.
누가 장미에게 다가갈까

이윽고 장미가 불쌍해졌다.

불면증

친구가 많지만 친구가 없고
외롭지 않지만 외롭다
심지어 쌍커풀이 있지만 쌍커풀이 없다
누구보다 행복하면서도 불행하다
결핍은 곧 불면증이 된다.

오늘 밤의 방안은 유난히도 넓고 춥고 어둡다.
의미 없는 작은 화면 속 소리가
의미 없는 소주 한 잔이 나를 다독여준다

피곤에 절어 잠에 들었을 때
비로소 결핍을 저버릴 수 있다.

당나귀가 된 피노키오는
제페토를 만나기를 바라며
허우적되다 눈을 감는다.

신념

통조림 속 콩조림
지금 당장 나가고 싶다

옆의 콩 하나 콩 둘
나가봐야 오믈렛이라며
혀를 끌끌찬다.

콩 셋은 통조림이 너무 답답하다.
오믈렛이라도, 설령 개밥이 된대도
아무래도 상관없다.

사실 뚜껑을 열고 밝은 빛이
눈을 찌뿌리게 할 때
무엇이 보일지는 아무도 모르기에

어두컴컴한 통조림 속 콩 셋은
통조림 뚜껑을 힘겹게 두드린다.

히피족

때 아닌 히피족이 인생을 살아갈 때
삶의 무게는 더욱 무거워지는 아이러니
침대 옆에 정장과 넥타이와 구두가 있지만
그는 악착같이 비니를 쓰고 나시를 입고 카고바지를 입는다

아이스 아메리카노를 마시면서
직장인들의 경주를 관람하고는
동네 한 바퀴 햇빛따라 다니다 집으로 돌아간다

오늘의 점심은 쿠지라이식 라면
샤워를 하고 독서실로 느릿느릿 걸어간다
질질 끌리는 걸음걸이에 바지도 조금씩 내려간다
눈이 아프고 질릴 때 즈음
언제는 오토바이 타고 배달가고
언제는 앞치마 두르고 요리하고
언제는 펜을 잡고 시를 쓰고
언제는 안경 쓰고 과외 하고
내일은 또 다른 어떤 일을 할 수도

눈을 뜨니 침대 옆에 놓여있는
정장과 넥타이와 구두
점점 더 하나 둘 모자를 벗어두고
정장과 넥타이를 챙기며 경주마가 되어간다

언젠가 나도 경주마가 되겠지만
뭐가 그리 급한지
행복 찾아 떠나는 삼만리

오늘도 기어코 그는
비니를 쓰고 나시를 입고 카고바지를 입는다.

화장실 잡지

당신의 행복은 안녕하십니까
무얼 위해 살고 있는지
무얼 위해 그렇게 치열한지
알고 계십니까

햄스터 쳇바퀴 굴릴려거든
어서 거기서 나오세요

커피 한 잔을 마시고
햇빛을 맞으며
벤치에 앉아
시집을 읽었던 그 때의 기억은 언제였나요

누군가는 책을 쓰고
누군가는 책을 읽고
누군가는 책을 팝니다

정신없이 움직이는 세상들이 불안할 때

선택은 당신이 하기를 소망할게요

다시 한 번

당신의 행복은 안녕하십니까

청춘

높고 낮은 파랑 사이
떠다니는 빨간 선
나는 선 위에 불뚝 서있는 외톨이

하염없이 기다리는 로빈손은
지나가는 배를 붙잡지 못한다.

텅 빈 바다를 보며 시를 소리친다.

본인이 누군지 도무지 알 수 없는 돈키호테는
날으는 고래가 되어 하늘을 유람하더니
이내 바다로 고꾸라친다.

플레이 리스트

YOUTUBE MUSIC

널 너무 모르고 - 헤이즈

별 - 스웨덴 세탁소

서울의 달 - 김건모

슬픈 언약식 - 김정민

사진찍어 보내줘 - 개코

키보드 - 기리보이

소녀 - 오혁

트로트 - 에픽하이

휘파람 - 로이킴

가로수 그늘 아래 서면 - 장재인

반복 재생

그리고 러닝

살짝은 특이한

갈피 잡을 수 없는

영화 시나리오- 교차편집, 우에서 좌로 이동, 다시 좌에서 우로 이동

잠 안드는 밤
선풍기 돌아가는
소리만 납니다

잠시 창 밖을 보는데
문득 당신께서 하신 말이
생각 납니다

우리는 이렇게 떨어져 있지만
같은 달을 보고 있어

달을 보며, 생각합니다
이런 말을 알려주고간 당신은 잘지내시나요
그때가 생각나는 밤입니다

당신도 달을 볼 때면
가끔 제 생각이 나기를 바라요

시

시는 순간의 감정을 담기에 좋다
그래서 시를 쓰기로 했다.

내 마음 깊숙이 숨어 하지 못한 말들
시에 몰래몰래 숨겨 고백했을 때

누군가는 눈치챘으면 하면서도
몰랐으면 하는 줏대없는 성격이 은근 좋은걸.

사람 몸은 솔직해서
심장은 두근거리고, 그러면서 어지간히 긴장되고
결국 내 마음 몰라주는 그대들이 가끔은 미워진다.
하지만 결국 몰랐으면 한다.

가끔 겁이 나는 건.
도화지에 번진 물감이
점점 커져 결국
내 마음을 알아차릴라

목소리

목소리는 편안함과 아늑함을
느끼게 해준다

목소리는 고된 하루를
서로 위로해주기도 한다

어찌하여 점과 점이 만났을 때,
만들어진 선이 또 다른 시를 만든다

사람의 욕심은 과도하여
선과 선을 이어
면을 만들고자 한다

목소리로 시작된 그 점들이

나는 육교가 싫다.

나는 육교가 싫다.
육교 때문에
너랑 같이 있는 이 시간이 줄어드니까.
나는 8차선 횡단보도가 좋다.

주지 못한 편지

크고 바쁜 일들이 지나가고
아무것도 하기 싫을 때가 있어요
다 귀찮고 혼자 있고 싶을 때도 있지요

잠깐동안 세상과 벽을 쌓고
혼자만의 시간을 보내는 것도 중요해요

하지만 그게 오랫동안 지속된다면
나는 너무 서운할 것 같아요

혼자 집 앞 장미꽃들을 볼 수도 있고
새벽 늦게까지 드라마에 빠져 있기도 하고

하지만 마음이 정리된 후에
그게 안된다면 시간을 정해놓고
억지로라도 사람들을 만나봐요

당신은 누군가와 함께 할 때에
비로소 만개하는 꽃과 같으니까

이런 말을 하는 나도 지금은 몸과 마음이 아파
세상과 담을 쌓고 지내고 있어요

나도 곧 사람들과 부대끼며
하루하루 지내볼테니
당신도 당신 사람들과 함께 하길 바라요

나는 이렇게 하다보면
언젠가 서로 만나겠지란 희망도
가져볼래요

은인

힘이 들 때 나를 일으켜 세워 준 건
그대랍니다

그 호의는 결코 작지 않아
나를 가득 채웠습니다
그 감정은 너무 과분하여 두렵기까지 합니다

안녕이라고 말을 건넨 그대는
안녕이라고 말을 끝맺겠지요

쉽게 잊지 못할
그러나 떠나면 말릴 수 없기에
어쩔 수 없이 그 날을 몇 번이고 맞이할 준비합니다

바람은 시원하고 햇빛은
그대를 비추기를 기원합니다
하지 못할 말. 그대, 나 떠나지 말아다오

처음 쓴 소설의 첫 문단

불안한 한마디 말 뒤에
당신은 어디에 있나요
단순히 바쁜 거라고 생각할게요

해는 기분 좋게 창문을 꿰뚫어
영화 속 주인공마냥 나를 비춰 주는데
마지못해 미소짓는 내가
조금 이상하네요

어제는 비가 왔어요
시원했지만
문득 비를 싫어하는 당신이
생각났어요

차가운 빈 자리를 어루만지는 것은
아름답지 않기에
이제는 축복해줘야지라는 생각을 했겠만
감정이라는 것은 참으로
어려운 것 같아요

이미 마음이 돌아섰다면
어떻게 말리겠어요
축복해주고 응원해주고
계속 시를 쓸테니

단지 그대 소식 한 번 들려주세요
나는요 그걸로도 만족한답니다

신의 한 수

한 수, 한 수
아무 의미 없을 것 같던
바둑돌 하나 하나 점점 커지더니
커다란 군집을 형성하고
나는 결국 도망가기에 바쁘다

욕심 많은 나는 사석을 버리지 못하고
쩔쩔대다 결국
대마가 잡힌다.

복기를 해보지만 내가 과연 사석을 버릴 수 있을까

나는 왜 그 죽어버린 사석들을
아직도 붙잡고 있는 것일까
어쩌면 사석들을 살릴 수도 있지 않을까

그러다 나는 또 대마가 잡히고
후회하다 잠에 든다.

시집을 받았다

책장에 꽂힌

「내 그리움이 그대 곁에 머물 때」

가끔 나에게 말해준다

머물다간 내 그리움이

조용히 있다가 떠났기를 바랄뿐이다

반성

누군가에게 상처를 줬을 때
핑계 되기에 바빴다
그동안 해왔던 달콤한 거짓말은
유통기한이 다 되어 썩어가고 있었다
문득 편지함을 열었을 때
나는 창피함을 느꼈다
나는 진중했던 적이 있던가
말로만 앞선 사기꾼은 아니었던가

고질병

그리움이 사무칠 때
밤 하늘을 보면 나아질까요
예쁜 꽃이 있는 거리를
후회없이 거닐다보면 좀 나아질까요

문득, 그리움은 일방적 관계라 생각하니
그 감정은 더할 나위 없습니다
너무 아파 웃는 것과
정말 기뻐 우는 것과 같은 거겠지요.

시간은 약이라던데 그 길이는
나에게는 영겁이지 싶습니다.
낙엽이 지고 꽃이 피고
다시 낙엽이 진다고 해도 끝이 보이지를 않습니다

요새는 그리움이 스멀스멀 올라올 때 즈음
시를 쓰고는 합니다.
꽃이 다시 핀다면 그리움을 그리워할 수 있을까요

추억

바람아 불어라

불어서 흘려보내라

그 내음새 아무에게도 주지 말고

너만 아는 그곳으로

아주아주 보내버려라

이상형

운명처럼 누군가를 만나
시를 쓰듯 누군가를 사랑하길

젊음에 치여 이러저리 방황하고는
서로에 머리에 기댈 수 있길

이렇게 서로의 젊음 속에 녹아들며
청춘을 뜨겁게 달굴 수 있기를

이상향

작은 것에 감동하고
또 작은 것에 실망한다

착각할 수 있으며
착각하게 한다

마음을 읽을 수 있는 능력이 있다면

바라보고 싶은 것에 무언의 벽을 느꼈노라면
포기도 종종 아름답다는 것을 알아차리길

마음은 아프로 찢겨 힘들지라도
그것이 바라보는 것에게의 배려임을 알기를

편지

계속해서 채워진 서랍은
그 주인을 찾을 수가 없습니다.

한 글자씩 정성스레 써내려갔건만
결국 그 주인을 찾을 수가 없습니다.

겁쟁이는 결국 주인을 찾아주지 못하고
이렇게 언젠가 그대들에게 전해지기를 바라며
그런 마음으로 시를 써내려갑니다.

사랑이, 슬픔이, 행복이, 후회가
그 수많은 복잡한 내 머리 속 감정들이
낙서장처럼 쓰여집니다.

언젠가 우연찮게 나의 시를 읽게 된다면 하는 마음으로
그렇게 시를 씁니다.

기억 혹은 추억

대왕 잉어

설레는 인생의 첫 드라이브
벚꽃은 상상보다 성공했다
살짝 열린 창문으로 들어오는 꽃 내음새
벚꽃처럼 내 볼에는 홍조가 핀다

떨어지는 벚꽃잎을 하나하나 따라가니
점점 들려오는 사람들의 하모니
절부터 내려오는 사탕가게, 장난감 가게, 악세사리 가게들은
관광객을 반긴다

사소하면서 소중한 이 순간들을
머릿속에 찍어대다 지쳐버려
걸음을 멈췄을 때 나는 그곳에 서있었다.

기필코 뽑겠다는 호기로운 다짐은
처참하게 무너져 민망한 미소만

나에게는 앙증맞은 노란 것이 쥐어졌다
그 작은 것을 조각 내어
입안에 집에 넣기 전
수많은 궁금증이 나를 덮쳤다

도대체 무슨 맛인지
젤리인 줄 알았던 나는
달고나와 같은 느낌에 당황했고
웃으며 다시 차에 탔다.

그때의 그 순간들은
아직도 내 머리 속 사진첩에 담겨 있다.
달콤한 입안보다 더 달콤한 날이었음에
종종 그 순간들을 꺼내 보고는 한다.

모교로 간 이유

좋은 시설과 훌륭한 선생님, 똑똑한 학생들
나는 그곳에서 이단아
그 꼬리표는 계속해서 졸졸

도망치기 싫어 모교로 한걸음 한 걸음
훌륭한 교생들 사이
나는 쭈구리. 나는 숨이 터억

1학년 6반. 긴장한 채 문을 열고
담담한 척 떨리는 목소리
「안녕하세요, oo고 5기 국어, 체육 교생 ooo입니다.」
좋은 시설과 훌륭한 선생님, 똑똑한 학생들

나는 그곳에서
누구보다 낮은 걸 알기에
몸부림쳤다
할 수 있는 게 노력밖에 없기에

「공주대학교에서 인천하늘고등학교까지 3시간
소요됩니다.」
용기내서 교수님을 모신다
누구보다 낮은 걸 알지만, 그렇기에   더 나아가고 싶은

학생만큼 많은 교수님, 교장 선생님, 교감 선생님,
국어 선생님, 학창시절 담임 선생님, 교생 선생님

나보다 긴장한 학생들
나보다 긴장한 교수님
나보다 긴장한 선생님

수업이 끝나고 건네주신
보헴시가미니1mm 한개비,
아이스 아메리카노 한 잔,
고생했다는 따뜻한 말씀 하나
왠지모를 눈물 한 방울.
좋은 시설과 훌륭한 선생님, 똑똑한 학생들
잊을 수 없는 하나의 도전

학생들이 준 편지

'금강 같이 가유' 레터링이 달린 케잌
정성스레 쓴 편지들, 어떤 반은 인터넷 편지를
마지막 수업. 1학년 6반과 그 옆 1학년 5반.
그리고 다른 많은 학생들

짧디 짧은 시간동안
미소를, 마음을, 존중을, 행복을, 동기부여를.
누군가는 아쉬움을 눈물도 주었다.

국어를 전공하는 나에게
글로 표현하기 어려울 정도의
아이러니한 상황을 줄 정도의
많디 많은 과분하고 감사한 것들.

소중한 상자함에 넣어둔
그 편지들, 나눈 인사들, 이야기들.
웃고, 울던 그 추억들을
종종 꺼내보고는 한다.

선물

차려 입은 정장에 귀여운 초록색 슬리퍼를
신은 교생이 나 말고 또 누가 있을까요

얼마나 고민하고 생각했을지
감사함은 파도가 되어 나를 덮쳐 오네요

아쉬운 건 서툴러서 그 마음 가득 표현하지 못했다는
거에요

아쉬움에 산책하러 나갈 때
그 라코스테 초록색 슬리퍼를 신고 나갑니다

핑계

마지막 목소리를 들었을 때
나는 배달을 뛰고 있었다

나의 사정들을 일일이 말할 수 없었기에
나는 다음 콜을 잡았다

한순간의 목소리는 그동안의 세월을
겹겹이 쌓았음이 느껴지기에
그 무게가 나로서는 감당할 수 없어
나는 배달을 할 수 밖에 없었다.

내일만을 바라보던 나는
당장 방금전의 일도 기억나지 않는다

할 수 있는게 아무것도 없어
억지로 배달을 뛰었다
한동안

1943

1943 그 해
무슨 일이 있었는지도 모르는 그 곳에
들어갔다.

술 한잔씩 들어갈 때마다
얼굴은 조금씩 붉어지고,
먹었던 안주는 맛있던 듯

어떤 안주를 먹었는지 기억이 안날 때 즈음
그 곳을 지나갔을 때에
그곳이 없어졌다는 걸 알았다.

내가 그곳에 들어갔을 때,
그해 그 날, 무슨 일이 있었는지
기억하는 사람이 있을까.

한번씩 그곳을 지나갈 때마다 이 생각을 하고는 한다.

운전

기분 좋게 운전할 때
표정이 무섭다는 이야기를 들었다

정색한다는 걸 알았을 때
미소를 짓기 시작했다

긴장해서였을까
집중 때문일까
아니면 눈이 침침해서였을까
어쨌든 나는 운전할 때 정색을 했었다.

평소 나도 모르게 좋아하는 사람에게
정색을 하지 않았을까 하는 생각이 든다.

나도 모르게 상처를 준 그대에게
미안하다는 말을 남긴다.

집으로 가는 길

사범 1관 잔디밭
그 앞 버스 정류장
에 오는 버스가 그렇게 좋았다

온갖 걱정과 문제가 내 곁에 있어도
그 버스만 오면 그들은 곧장
도망가버렸다

사범 1관 잔디밭
그 앞 버스 정류장
부터 우리 집까지 그렇게 좋았다

낮이면 햇빛이
밤이면 시원한 바람이
기타 등등 많은 것들이
반겨주었다. 이토록

다시 사범 1관 잔디밭

그 앞 버스 정류장

에 있는 벤치에 앉아 커피를 마신다

이제는 별 감흥 없는 버스 소리

낮이면 햇빛이

밤이면 시원한 바람이

기타 등등 많은 것들이

나를 반겨 주어도

커피 때문일까

쓴 웃음이 나온다

친구

따뜻한 햇빛이 되어주고 싶습니다
어두운 골목길 가로등이 되어주고 싶습니다
살아갈 때의 언젠가의 웃음이 되어주고 싶습니다

그렇기에 그대들 곁에 내가 있는 것이고
그렇기에 이렇게 시를 씁니다

언젠가 마음이 멀리가버릴까 겁이 나지만
어쩌겠나요.

그저 따뜻함을 느꼈고
밝은 밤을 보냈고
가끔가다 기억 속에 웃음이 난다면
그걸로 나는
만족한답니다

콩알이

콩알만했던 그녀석은
커진 몸처럼 호기심도 덩달아 커져서
내 뒤만 쫄래쫄래 따라다닌다

소파에 앉아 쉬고 있을 때면 어떻게 올라 왔는지
어느새 내 무릎위에서 세수를 한다

설거지를 하고 있으면 뭐가 그리 궁금한지
발등 위에 올라오더니 어느 새 바지를 타고
주머니까지 등반한다
마지못해 어깨 위로 올려두고
서둘러 설거지를 마친다

벽을 긁으면 이갈이를 주고
뾰투룽 쳐다보면 양상추나 당근을 준다

마음을 읽는지 우울해서 엎드려 멍해있으면
내 앞에서 자꾸만 얼짱거린다.

콩알만했던 녀석은

손바닥만 해지고

그 세월동안 우리는 대화법을 터득했다

그러면서 우리는 동거동락했다

햄스터 언어를 알 수 있으면 얼마나 더 좋았을까

찍찍찍

J.W가 써준 시

어릴 적 나에 곁에선
귀여운 강아지가 있었다.

멍 멍 멍 멍 멍 멍 멍

그 시절 멍 때리며 회상한다.

Clemonf

그때였다.

홍대에서 버스킹을 보다가

자리를 옮겨

담배를 피우다 고개를 돌렸을 때.

왠 노란머리 외국인과 눈이 마주쳤다.

서로의 담배연기가 합쳐질 때

우리는 축구, 연애, 일 얘기를 하고 있었다.

다음 날 나는 그를 집에 초대해

식사를 대접하고

다음을 기약하며 그는 프랑스로 떠났다.

Full name Clementfelpin

Clemonf

Il était alors.

Regarder la rue à Hongdae

Déplacez votre siège

Quand j'ai tourné la tête en fumant une cigarette.

Pour une raison quelconque, j'ai établi un contact
visuel avec un étranger aux cheveux jaunes.

Quand la fumée de cigarette de chacun se combine

Nous parlions de football, de rencontres et de
travail.

Le lendemain, je l'ai invité à la maison

Servir un repas

Il partit pour la France en promettant de faire ce
qui suit.

Nom complet Clementfelpin

위스키 한 잔, 두 잔, 세 잔, 네 잔

나비가 춤을 추 듯
정처 없이 이리저리

겨우 꽃에 앉아
휴식을 취할 때
고개를 돌리니 보인 건 그때 본 서양 나비
그도 이리저리 춤을 추었겠거니 하고
서로를 바라보며 위스키 한 잔하다

언제 봤다고 밤이 새도록
각자의 인생과 꿈과 길을 실컷 떠들다
위스키가 바닥낼 때 즈음
다시 만날 날을 기약하며
각자의 길을 호랑 나비 춤추며 간다네

타지에서 만난 외국인과 외국인들이

One, two, three, four shots of whiskey

Like a butterfly dancing

Moving around aimlessly

barely sitting on a flower

when to rest

When I turned my head, what I saw was the western

butterfly I saw then.

I think he danced here and there too.

Have a glass of whiskey while looking at each other

When did you see me all night long?

Talking loudly about each person's life, dreams, and

paths

By the time the whiskey runs out

Promising to meet again

We go our separate ways, dancing like tiger butterflies.

Foreigners and foreigners I met in other places

전하지 못한 감사

1387의 크기는
그가 감당하기에
작지 않았는지
미처 그 배려를 알아차리지 못했다

해가 지고
이리저리 정신없이
곧 접신이 되고 있을 무렵
웃지만 웃고 있지 않은
미소를 뒤늦게 알아차리고

서둘러 그를 데리고 나오며
따뜻한 감사와 심심한 사과를 하려
뒤를 돌아보니
그는 사라지고 어디갔는지

伝えられない感謝

1387のサイズは

彼が買うのに

小さくなかった

あの心配に気付かなかった

害あちこち精神なく

すぐに連絡が取れている頃

笑いながら笑っていない

笑顔に遅れて気づく

急いで彼を連れて行って

暖かい感謝と深刻な謝罪をしよう

後ろを振り返る

彼は消えてどこに行ったのか

기억과 추억

기억
「이전의 인상이나 경험을 의식 속에 간직하거나 도로
생각해 냄.」

추억
「지나간 일을 돌이켜 생각함. 또는 그런 생각이나 일.
언뜻, 비슷한 말인 듯 다르게 느껴지는.」

그대는 나에게 무엇이었으며
나는 그대에게 무엇이었나

맺음 시

삿포로에 가니 눈이 내렸다

삿포로에 가면 눈이 올까하던
사내는 1387이 지나고
이윽고 그곳에 도착했다

당연히 오지 않는 이곳은
아스팔트가 나를 반겼다.

왠지 모를 쓸쓸함에
bar에 앉아 칵테일 2잔
라멘집에 앉아 라멘과 생맥주 2잔
야키토리에 가서 닭날개와 생맥주 2잔

붉은 볼의 사내는 비틀거리며 자리를 일어났다.

잔뜩 일본어를 공부한 그 사내는
간판에 보이는 말들을 보이는 대로 읽어댔다.

스스키노를 세세키노로 읽고
멋쩍은 웃음을 짓는
얼마나 급하게 왔으면
얼마나 궁금했으면

스스키노의 밤 하늘은 어떨까
고개를 들었을 때
아주 잠깐 눈이 내리더니 금세 멈췄다
이 시의 마무리를 지어 주려는 듯

맺음 말

잡생각이 많은 나는
그 정도가 너무 하찮아서
아무에게도 고민들을 털어놓지 못하고
일기 쓰듯 시를 써야만 잠이 왔어요
둔하지만 예민한 저는
사람과의 관계가 겉으로는 곧잘지내지만
그 속은 고민투성이라
좋아하는 사람에게 잘해주지도 못하고
그렇지 않은 사람에게는 가식을 떨고
결국 제 속마음을 털어놓지 못하더라고요
그래서 그 속마음을 종종 시로 표현합니다
비 오는 날이 좋아서
밤 하늘과 그 공기 냄새가 좋아서
꽃이 좋아서
보통 그런 소재들로 시를 썼던 거 같아요
언젠가는 속 넓은 사람이 되었으면 합니다

정말로, 좋은 하루 보내세요

낙서장

그림장